Cwm

Fuoch Chi 'Rioed yn Morio?

Argraffiad cyntaf: 2008
℗ Dinamo Cyf. a'r Lolfa Cyf., 2008
Dylunio: Dinamo

ISBN: 978 1 84771 108 3

Dymuna'r cyhoeddwyr gydnabod cymorth ariannol Cyngor Llyfrau Cymru

Cyhoeddwyd ac argraffwyd yng Nghymru gan
Y Lolfa Cyf., Talybont, Ceredigion SY24 5AP
e-bost ylolfa@ylolfa.com
gwefan www.ylolfa.com
ffôn (01970) 832 304
ffacs 832 782

Cwm Teg

Fuoch Chi 'Rioed yn Morio?

Meinir Lynch
Owen Stickler

y Lolfa

Mae'n ddiwrnod braf o haf yn Nghwm Teg. Mae'r wylan fach yma ymhell o adre. Gadewch i ni ei dilyn hi nôl i lan y môr.

Mae 'na brysurdeb mawr yn harbwr Aber-deg heddiw.

There's lots of activity in harber aber-deg today

All Kinds of   Ships   and

Mae pob math o longau a chychod yn mynd a dod.

boats   come and go.

Look at the foam white on the

Edrychwch ar yr ewyn gwyn ar flaen pob cwch.

the

of each boat

9

Jack Loves ~~watchin~~ the

Mae Jac wrth ei fodd yn gwylio'r llongau mawr a bach.

watch~~ed~~   ships   big   and   little

11

Jock likes thecolours of

Mae Jac yn hoffi lliwiau'r

the yachts ~~dotted~~ blue

cychod hwylio. Dacw un glas

with sails we have one white and one

gyda hwyliau gwyn. Ac un

red with sails yellow and a

coch gyda hwyliau melyn. A

boat ~~green~~ green with flags

chwch gwyrdd gyda baneri

amryliw.

multicolours

Mae honna'n llong anferth!

that's a huge ship!

Tybed i ble mae'r llong fawr yn mynd?

I wlad bell, bell, siŵr o fod,
Jac. Rhywle fel – America!
Neu Brasil!

Ond mae Jac yn aros am un cwch arbennig iawn i gyrraedd yr harbwr.

Cwch pysgota Wncwl Wyn.
Mae o wedi mynd i bysgota
allan ar y môr.

19

Mae Jac wrth ei fodd pan fydd Wncwl Wyn yn dod nôl o daith bysgota...

I think

... achos mae ganddo rywbeth
arbennig i Jac bob tro.

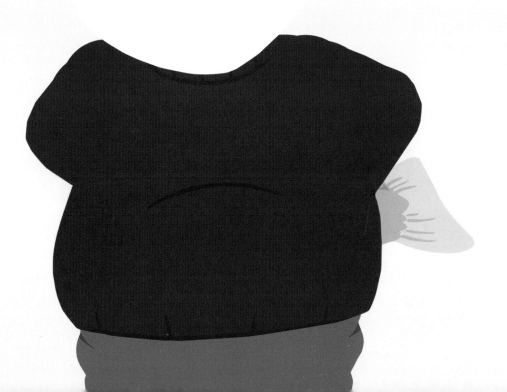

Tybed beth fydd ganddo heddiw?

Mae o'n cuddio rhywbeth! Beth ydi o?

Wwww! Pysgodyn mawr i swper!

Croeso adre, Wncwl Wyn!

25

Nôl â nhw i goginio'r pysgodyn.

Mmm. Mae'r pysgodyn yn gwneud swper blasus iawn!

O na. Pwy sy'n mynd i olchi'r holl lestri 'na?

Da iawn chi, Wncwl Wyn a Jac.

A dweud y gwir,
mae Jac yn hoffi golchi llestri.

Mae o'n dychymygu mynd ar antur fawr mewn cwch efo Wncwl Wyn.

Fuoch chi 'rioed yn morio?
Wel, do, mewn padell ffrio.
Chwythodd y gwynt fi
i ben draw'r byd,
A dyna lle bûm i'n trigo.

Fuoch chi 'rioed yn torheulo?
Wel, do ar gadach sgrwbio.
Chwythodd y gwynt fi
i ganol y bae...

... A dyna lle bûm i'n syrffio.

Fuoch chi 'rioed yn hedfan?
Wel, do, ar gaead sosban.
Chwythodd y gwynt fi
adre at Mam,
A hynny'n ddigon buan.

Dyna antur gafodd Jac!

A dyna hen ddigon o olchi llestri am un diwrnod!

Hwyl fawr o Gwm Teg!

Mwynhewch fwy o lyfrau yn yr un gyfres:

A rhagor i ddod...

Am restr gyflawn o lyfrau'r wasg,
mynnwch gopi o'n catalog – neu hwyliwch
mewn i'n gwefan newydd:

www.ylolfa.com

TALYBONT CEREDIGION CYMRU SY24 5HE
ebost ylolfa@ylolfa.com
gwefan www.ylolfa.com
ffôn (01970) 832 304
ffacs (01970) 832 782